NAD

I
Steffan a Rhodri
—ychydig yn hwyr.
C.M.

I
Ruth a Steffan.
C.G.

CHRISTOPHER MEREDITH

Lluniau gan
CHRIS GLYNN

Argraffiad cyntaf: 2000

ISBN 1 85902 882 9

Paratowyd y testun Cymraeg gyda chymorth Delyth George.

Dymuna'r cyhoeddwyr gydnabod cymorth Adrannau Cyngor Llyfrau Cymru.

Argraffwyd gan
Wasg Gomer, Llandysul, Ceredigion

Dyma Berwyn Alwyn Emlyn,

y bachgen mwyaf barus yn y byd.
Mae'n farus wrth fwyta . . .
stwffio siocled i'w gylla.
Mae'n farus wrth chwarae
am oriau gyda'i ffrindiau.
Ond yn bennaf oll mae'n farus am . . .
anrhegion!

Dyna pam mae Berwyn yn dwlu ar ben blwyddi. Ei ben blwyddi e, wrth gwrs.

Ond dim hanner cymaint ag y mae'n dwlu ar ddydd Nadolig.

Ac rwy'n mynd i adrodd stori'r Nadolig mwyaf barus a gafodd Berwyn yn ei holl fywyd barus i gyd.

1000

Un bore Nadolig, dihunodd Berwyn Alwyn Emlyn a neidio i agor yr anrhegion oedd yn ei sach fawr ar waelod y gwely. Doedd dim hosan Nadolig ganddo. Roedd ganddo sach yn lle honno. Oherwydd Berwyn oedd y bachgen mwyaf barus yn y byd.

Yn y sach roedd
pac o gardiau a robot melyn,
gwn mawr plastig, sybmarîn,
rhywbeth fflyffi—tybed beth?
comic lliwgar, crys-T glân,
tedi bêr a het o wlân,
sanau piws a gwyrdd a gwyn,
bocs o siocledi a bag o losin.

Bwytaodd Berwyn y losin a bwytaodd Berwyn y siocledi, a rhwygo'r comic a thanio'r gwn. Ac wedyn gwaeddodd, "RWY EISIAU RHAGOR!"

Oherwydd Berwyn oedd y bachgen mwyaf barus yn y byd.

"Edrycha lawr llawr, Berwyn," meddai ei fam.

Rhuthrodd Berwyn i lawr y grisiau, ac yno, o dan y goeden ac ar y soffa, roedd pentwr o anrhegion.

“Iym! Sgrym! Jest y peth!” meddai Berwyn.

Mi rwygodd bapurau a thorri rubanau nes bod pob anrheg wedi’i hagor. Treuliodd y bore cyfan yn gwneud hyn. Roedd cymaint ohonyn nhw.

Roedd yno
feic mynydd sgleiniog, tâp casét,
bocs o baent a jymbo jet,
rhywbeth gwlanog—tybed beth?
model o long a thiwb o lud,
olwynion traed a thriciau hud,
pêl wen newydd a chit pêl-droed,
a'r sw bach gorau'n y byd erioed,
shyrbet dabs a licyris hyfryd,
a llwyth o anrhegion eraill hefyd.

Chwarae a bwyta, bwyta a chwarae y bu Berwyn am amser hir, ac wedyn gwaeddodd, "BETH SYDD I GINIO?"

Oherwydd Berwyn oedd y bachgen mwyaf barus yn y byd.

"Twrci, wrth gwrs," meddai ei fam.

"Iym! Sgrym! Jest y peth!" meddai Berwyn.

Taclodd y twrci, llowciodd y tatws, llyfodd y grefi a stwffiodd y stwffin. Ond roedd ganddo ddigon o le i'r jeli. Yna tynnwyd craceri—Berwyn a'i fam, Berwyn a'i dad. Ond Berwyn gafodd yr holl anrhegion bach. A'r jôcs. A'r hetiau papur. Rhoddodd nhw i gyd ar ei ben, ar unwaith.

"Gwell i mi olchi'r llestri," meddai tad Berwyn.

"Gwell i mi dacluso'r tŷ," meddai mam Berwyn.

"PEIDIWCH!" meddai Berwyn. "MAE'N DDYDD NADOLIG. FE WNAIFF FORY'R TRO!"

Bwyta a chwarae, chwarae a bwyta wnaeth Berwyn drwy'r dydd.

"Mae bron yn amser gwely, Berwyn," meddai ei fam, o'r diwedd.

"NA!" meddai Berwyn. "RWY EISIAU RHAGOR!"

Oherwydd Berwyn oedd y bachgen mwyaf barus yn y byd.

"Pum munud i fynd, Berwyn," meddai ei dad.

Aeth ei fam a'i dad i wylio ffilm ar y teledu tra arhosodd Berwyn gyda'i anrhegion.

Edrychodd ar y goeden Nadolig, ac edrychodd ar y soffa, ond roedd yr holl anrhegion wedi eu hagor.

Rhaid bod *un* ar ôl, meddyliodd Berwyn.

Chwiliodd drwy'r papurau a'r blychau a'r rubanau a'r tinsel a'r hen graceri a'r llyfrau a'r llanast.

Ac o'r diwedd, yn y cornel o dan y goeden Nadolig, daeth o hyd i un anrheg fach heb ei hagor.

"Dim ond un fach yw hi," meddai Berwyn wrtho'i hun, "a 'sdim enw arni. Ond mi agora i hi beth bynnag."

Rhwygodd y papur, a gwelodd botel fach werdd fain a chorcyn bach brown main yn sownd yn ei gwddw.

"Hy! Dim ond diferyn sy ynddi," meddai Berwyn. Ond agorodd y botel serch hynny.

Yn araf, dyma niwl coch tenau yn codi o geg y botel, a throdd y niwl coch tenau yn siâp coch tenau, a throdd y siâp coch tenau yn *ddyn* bach coch tenau, fawr mwy na maint eich bys bach.

Pesychodd y dyn bach coch tenau. Edrychodd o'i amgylch yn syn a gweld Berwyn. Cliriodd ei gorn gwddw.

"Hy-hymff!" meddai, mewn llais bach gwichlyd. "Myfi yw jîni'r botel fach werdd—"

"Iym! Sgrym! Jest y peth!" meddai Berwyn.

"—ac," meddai'r jîni, "mi gei di UN dymuniad."

"DIM OND UN?" gwaeddodd Berwyn. "RWY EISIAU RHAGOR!"

Oherwydd Berwyn oedd y bachgen mwyaf barus yn y byd.

"MAE PAWB YN CAEL TRI DYMUNIAD MEWN STRAEON!"

“Dim siawns, gw’boi,” meddai’r dyn bach coch, “achos dim ond UN rwyt ti’n ei gael. Os hynny.” A phlethodd ei freichiau’n flin.

“O, o’r gorau ’te,” meddai Berwyn.

“A phaid â mentro dymuno am lot o ddymuniadau,” meddai’r dyn bach coch, “achos fydd hynny ddim yn gweithio chwaith.”

“O’R GORAU!” meddai Berwyn.

Ac yna cafodd Berwyn syniad barus iawn, a gwenodd wên farus, slei.

"Iawn, 'te," meddai'r dyn bach coch tenau,
"yn gyntaf fe safaf
ar gledr dy law,
a chau di dy lygaid
yn dynn rhag cael braw.
Rwy'n mynd i ddiflannu—
ond paid ti â phoeni—
jest dwed dy ddymuniad
yn uchel a chlir.
Rhyw ias oer a deimli,
ond daw pob peth yn WIR!"

Dringodd y dyn bach coch tenau ar law Berwyn a throi i'w wynebu.

"Cau dy lygaid," gorchmynnodd. "Yn dynn, cofia."

Caeodd Berwyn ei lygaid yn dynn, ond roedd ei wên yn farus pan ddywedodd: "Dymunaf, dymunaf, DYMUNAF IDDI FOD YN DDYDD NADOLIG BOB DYDD!"

"O, wyt ti'n siŵr taw dyna beth wyt ti eisiau?" gofynnodd y dyn bach coch tenau, a'i lais yn gwanhau, gwanhau o hyd.

Teimlodd Berwyn ryw ias yn crwydro'i fraich i ddechrau, ac wedyn ei holl gorff.

Ar ôl sbel fach, agorodd ei lygaid. Roedd y dyn bach coch tenau wedi diflannu, ac roedd y botel fach werdd fain wedi diflannu, ac roedd y corcyn bach brown main wedi diflannu, ac roedd hyd yn oed y papur oedd wedi ei lapio am y cyfan wedi diflannu. Y cwbl oedd ar ôl oedd niwl coch yn hofran uwchben llaw Berwyn, ac yn fuan diflannodd hwnnw hefyd.

“Mae’r pum munud ar ben, Berwyn,” meddai tad Berwyn. “Amser gwely.”

“Rwyt ti’n iawn, Dad,” meddai Berwyn. “Rwy’n barod i gysgu nawr.”

Ac aeth i’r gwely, dan wenu.

Wel, dyna grwt bach da a chwrtais, meddyliodd tad Berwyn.

Y noson honno, breuddwydiodd Berwyn am bwdinau Nadolig. Roedd un pwdin mor fawr â’r tŷ, a bwytaodd Berwyn ef â chyllell goch a fforc goch.

“Iym! Sgrym! Jest y peth!” meddai Berwyn, yn ei freuddwyd.

Y bore wedyn, dihunodd Berwyn a gweld yr holl anrhegion a gawsai o'r sach y diwrnod cynt a'r papur lapio oedd amdanyn nhw. Ac yn eu hymyl ar waelod y gwely roedd y sach, unwaith eto yn llawn o anrhegion. Agorodd Berwyn nhw ar unwaith.

Roedd yno
het môr-leidr, patsh-llygad a chytlas,
llyfrau stori, map ac atlas,
wats fawr ddigidol, pop blas mefus,
caleidosgôp a drwm a thrwmped,
bocs o lygod siocled melys,
rhywbeth ffwrllyd—beth oedd e, tybed?
rhaff ddringo gyda helmed galed
a bat ping-pong a'r peli hefyd.

Bwytaodd Berwyn y llygod ac yfodd Berwyn y pop. Chwythodd y trwmped a churodd y drwm a sbonciodd y peli ping-pong oddi ar y lamp, ac yna fe waeddodd: "RWY EISIAU RHAGOR!"

Oherwydd Berwyn oedd y bachgen mwyaf barus yn y byd.

"Edrycha lawr llawr, Berwyn," meddai ei fam.

Dringodd Berwyn i lawr y grisiau ar ei raff ddringo, ac yno roedd yr holl anrhegion a gawsai ddoe, a'r papur lapio a'r blychau oedd amdanynt, ac o dan y goeden Nadolig ac ar y soffa roedd rhagor o anrhegion newydd, heb eu hagor.

"Iym! Sgrym! Jest y peth!" meddai Berwyn.

Torrodd y tinsel a byrstiodd y balwnau, rhwygodd y rubanau a phliciodd y papur oddi ar bob parsel. Treuliodd y bore cyfan yn gwneud hyn. Roedd cymaint ohonyn nhw.

Roedd yno
gadw-mi-gei 'run siâp â mochyn,
gwialen bysgota a'r rîl a'r bachyn,
pêl rygbi newydd a chit rygbi hefyd,
a rhywbeth ffrili—beth oedd e, tybed?
pâr hir o sanau porffor eto,
beic mynydd *arall* a phosau jig-sô,
pêl-fasged a'i rhwyd i roi ar y mur
ac injan dân goch gydag ysgol o ddur,
model o ffermwr a'i geffyl ac arad,
parot trydanol â'r gallu i siarad,
creaduriaid anferthol: jiráff, llew, babŵn,
bwrdd sglefrio aur a llyfrau cartŵn,
ac arian siocled a chyflaith hyfryd,
a llwyth o anrhegion eraill hefyd.

Chwarae a bwyta, bwyta a chwarae y bu Berwyn, cyn gweiddi, "BETH SYDD I GINIO?"

Oherwydd Berwyn oedd y bachgen mwyaf barus yn y byd.

"Twrci, wrth gwrs," meddai ei fam.

"Iym! Sgrym! Jest y peth!" meddai Berwyn.

Taclodd y twrci eto, llowciodd y tatws eto, a stwffiodd y stwffin eto. Ond roedd ganddo ddigon o le i'r jeli, eto. Wedyn tynnodd yr holl graceri—ar ei ben ei hun y tro hwn. Cadwodd yr anrhegion i gyd, darllenodd y jôcs i gyd, a gwisgodd yr holl hetiau papur i gyd gyda'i gilydd, nes bod hyd yn oed fwy o bapurau ar hyd a lled y stafell.

Wedi hynny, torrodd Berwyn wynt.

"Beth am olchi'r llestri?" meddai Berwyn wrth ei dad.

"Beth am glirio'r ford?" meddai Berwyn wrth ei fam.

"Ddim heddiw!" meddai'r ddau. "Dydd Nadolig yw hi. Fe wnawn ni hynny fory."

Chwaraeodd Berwyn rhagor a bwyta rhagor a bwyta rhagor a chwarae rhagor, nes ei fod wedi blino'n lân.

"Amser gwely, Berwyn," meddai ei fam.

"Rwyt ti'n iawn, Mam," meddai Berwyn. "Rwy'n barod i gysgu."

Ac aeth i'r gwely, a gwên farus a
wyneb.

Roedd mam Berwyn wedi ei syn

Wel, dyna grwt bach da a chwrta
meddyliodd.

Y noson honno, breuddwydiodd Berwyn ei freuddwyd pwdin Nadolig unwaith eto. Roedd un o'r pwdinau cymaint â dau dŷ. Bwytaodd Berwyn ef â chyllell fawr goch a fforc fawr goch.

"Iym! Sgrym! Jest y peth!" meddai Berwyn, yn ei freuddwyd.

rudolff

Y bore wedyn, dihunodd Berwyn, a—

Wel, mae'n debyg eich bod chi'n gwybod beth welodd e.

Eitha reit! Dyna lle roedd yr holl anrhegion a gawsai'r diwrnodau cynt. Ac wrth droed y gwely roedd ei sach anferth, yn llawn o anrhegion newydd sbon unwaith eto.

Y tro hwn, roedd Berwyn yn methu eu hagor nhw ar unwaith am fod cymaint o bapurau wedi eu rhwygo a hen anrhegion yn y ffordd. Agorodd y ffenest a thaflu'r hen bapur allan i'r ardd. Wedyn agorodd ei anrhegion newydd.

Yn y sach roedd
pysgod siocled mewn bocs arian,
madfall plastig, deinosor trydan,
siwt ofod a gwn gofod hefyd,
rhywbeth fflosi—beth oedd e, tybed?
model o drên o'r oes a fu,
dannedd Draciwla a'i glogyn du,
cartŵn ar fideo, io-io, ffliwt,
sbectol haul a pharasiwt.

Bwytaodd Berwyn y pysgod bach siocled a thorrodd yr io-io a chwythodd y ffliwt a gwisgodd ei siwt ofod cyn saethu'r deinosor â'i wn gofod, ac wedyn gwaeddodd: “RWY EISIAU RHAGOR!”

Oherwydd Berwyn oedd y bachgen mwyaf barus yn y byd.

"Edrycha lawr llawr, Berwyn," meddai ei fam.

"Ro'n i'n amau y byddet ti'n dweud hynny," meddai Berwyn.

Gwisgodd ei barasiwt a pharasiwtiodd i lawr y grisiau, ac yno—

Wel, mae'n debyg eich bod chi'n gwybod beth welodd e yn y fan honno hefyd.

Eitha reit! Yno roedd yr holl anrhegion a gawsai'r diwrnodau cynt, a'r holl bapur lapio a'r holl flychau, ac o dan y goeden ac ar y soffa roedd llawer o anrhegion newydd heb eu hagor.

"Iym! Sgrym! Jest y peth!" meddai Berwyn.

Ni allai eu hagor ar unwaith oherwydd bod cymaint o hen bapurau ac esgyrn twrci a phowlenni o jeli o gwmpas y lle. Felly, agorodd y ffenest a thaflodd yr hen bapurau allan i'r ardd. Yna, pliciodd y papur, tynnodd y tinsel, torrodd y trimins a rhwygodd y rubanau oddi ar yr anrhegion newydd. Bu wrthi am fore cyfan. Roedd cymaint ohonyn nhw.

…edd yno
…gnetau bach i fynd ar oergell,
ac wrth gwrs beic mynydd arall,
ceir rasio ar drac plastig du,
rhywbeth blewog—ych a fi!
hwyaden blastig i fynd yn y bàth,
bocs o fisgedi o bob math,
cyfrifiadur, set o Lego,
dillad cowboi, ceffyl siglo,
gwregys, gynnau a lasŵ,
banjo, tamborîn, cazŵ,
trênyrs newydd a logo arnynt—
help! rwy'n rhedeg mas o wynt!—
pâr o fenig gan Anti Del,
castell pren â thyrau uchel,
milwyr yn martsio ar y llawr,
cawell o saethau a bwa mawr,
a—

oi!

Ydych chi WIR am wybod hyn,
HOLL anrhegion Berwyn Alwyn?
Mae'r rhestr yma'n un ddiderfyn!

Ac fel hyn roedd hi, ddydd ar ôl dydd!

Dihunodd Berwyn ac edrych ac agor
a thorri a rhwygo rhagor a rhagor
a chwarae a bwyta yn hwyr ac yn hir.

A oedd e'n hapus?
Wel oedd yn wir!

Ar y dechrau.

Bob dydd, taflai Berwyn yr hen bapurau allan drwy'r ffenest ac agor anrhegion newydd a chwarae, cnoi cnau a chwarae, sugno sgwosh a chwarae, crensian creision a chwarae.

Bob dydd, roedd mam Berwyn yn dod â thwrci newydd i'r bwrdd. Bob dydd llowciai a llyncai pawb lond eu boliau.

Bob dydd, yn lle golchi'r llestri a thacluso'r tŷ, dywedai tad a mam Berwyn:

"Wnawn ni ddim trafferthu heddiw. Mae'n ddydd Nadolig. Fe wnawn ni hynny fory!"

Ond doedd dim yfory, oherwydd roedd hi'n Nadolig bob dydd.

Bob dydd roedd Berwyn a'i fam a'i dad yn mynd yn dewach . . .

. . . ac yn dewach

am eu bod nhw’n bwyta cymaint. Roedd y tŷ’n mynd yn llawn ac yn orlawn, ac yn flêr ac yn flerach. Dechreuodd Berwyn deimlo braidd yn sâl.

Bob nos, âi Berwyn i’w wely wedi blino’n lân. Roedd hi’n mynd yn fwy ac yn fwy anodd iddo ddringo’r grisiau.

Bob nos, breuddwydiai Berwyn ei freuddwyd am y pwdinau Nadolig. Bob nos roedd un o'r pwdinau'n mynd yn fwy ac yn fwy, a bob nos bwytâi Berwyn e â chyllell fawr goch a fforc fawr goch.

Tan y naw deg nawfed nos.

Ar y naw deg nawfed nos, cafodd Berwyn HUNLLEF am bwdinau Nadolig. Yn yr hunllef, roedd un o'r pwdinau mor fawr â naw deg naw o dai. Roedd ganddo lygaid bach sgleiniog pwdinaidd, a dannedd Draciwla a chlogyn Draciwla, a fforc goch enfawr a chyllell goch anferth. Rhedai'r pwdin Nadolig ar ôl Berwyn, a lle bynnag y ceisiai ddianc hyd strydoedd y dre, roedd y pwdin yn dynn wrth ei sodlau.

"RWY'N MYND I DY FWYTA DI, BERWYN ALWYN EMLYN!" meddai'r cawr o bwdin Nadolig, gan wenu gwên farus. "IYM! SGRYM! JEST Y PETH!"

"Help! Help!" sgrechiodd Berwyn.

A dihunodd.

“Ffiw!” meddai Berwyn, gan sbecian dros y cwrlid.

Ar y gwely gwelodd ei sach fawr, yn llawn dop unwaith eto o anrhegion newydd. Nid oedd am eu hagor. Roedd cannoedd o deganau fel mynydd ar y llawr.

Rholiodd Berwyn allan o’r gwely ac edrych drwy’r ffenest.

Gwelodd fod y papurau a daflodd allan cyn uched â silff ei ffenest. Yn lle eira, roedd yr hen bapur lapio yn ddwfn dros y wlad, a dim ond hanner uchaf y tai a'r coed oedd i'w gweld uwchben y llanast.

"Dwy ddim eisiau rhagor," meddai Berwyn.

"Edrycha lawr llawr, Berwyn," meddai ei fam.

"Na wnaf," meddai Berwyn, ac arhosodd yn ei stafell am amser hir.

Cofiodd am yr holl Nadoligau. Yna, cafodd syniad, a gwenodd.

Brwydrodd Berwyn ei ffordd i lawr y grisiau, heibio beiciau a gynnau, tedis a phethau â batris ynddyn nhw, a phethau fflyffi a phethau gwlanog a phentwr o deganau eraill.

Roedd hi'n dywyll i lawr y grisiau am fod yr holl bapurau lapio tu allan yn yr ardd yn cuddio'r ffenestri. Yng ngolau fflachlamp, dechreuodd Berwyn dwnelu ei ffordd drwy'r holl anrhegion. Roedd yn waith caled am ei fod bellach mor fawr a thew, ac am fod y tŷ yn llawn o galeidoscôps a phethau ffrili ac esgyrn twrci a balwnau mawr a chardiau Nadolig a io-ios heb gortyn a deinosoriaid trydan a phowlenni o jeli a briwsion bisgedi a gêmau di-ri a siocledi wedi toddi a bagiau creision gwag.

Chwiliodd a chwalodd, twriodd a thwnelodd Berwyn drwy'r dydd. Darganfu ragor o anrhegion heb eu hagor, a doedd ganddo'r un bwriad o'u hagor. Roedd yn chwilio am un anrheg fach arbennig.

Aeth drwy'r papurach a'r rubanau a'r esgyrn, sglefriodd ar saim twrci a llithrodd mewn pyllau o grefi.

Ac o'r diwedd, yn y cornel, o dan y goeden Nadolig, daeth o hyd i'r un anrheg fach y bu'n chwilio amdani, a honno heb ei hagor.

"Mae hi'n fach, fach, a 'sdim enw arni," meddai Berwyn. "Gwych!"

Rhwygodd y papur i ffwrdd. Tu mewn roedd potel fach goch fain gyda chorcyn bach brown main yn sownd yn ei gwddw.

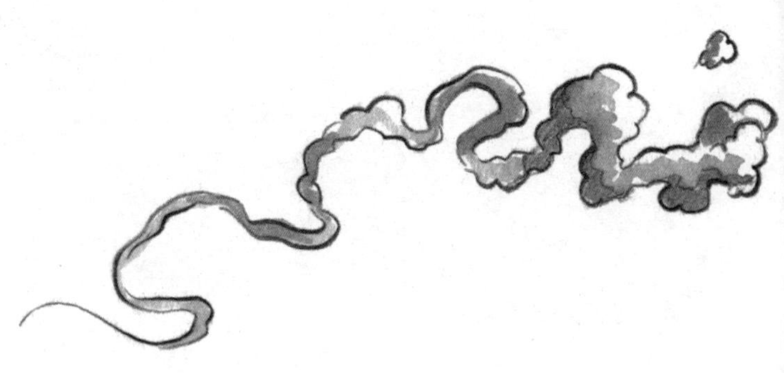

“Jest y peth!” meddai Berwyn, ac agorodd y botel.

Yn araf, daeth niwl gwyrdd tenau allan o’r top, a throdd y niwl gwyrdd tenau yn siâp gwyrdd tenau, a throdd y siâp gwyrdd tenau yn *ddyn* bach gwyrdd tenau, fawr mwy na maint eich bys bach.

Pesychodd y dyn bach gwyrdd tenau ac edrych o’i amgylch yn syn. Gwelodd Berwyn a phesychodd eto i glirio ei wddw.

“Hy-hymff!” meddai mewn llais bach gwichlyd. “O, y niwl yna. Myfi yw jîni’r botel fach goch. Ac rwy wedi bod yn dy ddisgwyl di. Galla i ganiatáu UN DYMUNIAD i ti—a dim ond un.”

"Iym! Sgrym! *Jest* y peth!" meddai Berwyn.

"Ond wyt ti'n mynd i gwyno?" gofynnodd y dyn bach.

"O na," meddai Berwyn. "Ddim y tro yma."

"Hm! O'r gorau 'te!" meddai'r dyn bach gwyrdd tenau.

"Yn gyntaf fe safaf
ar gledr dy law,
a chau di dy lygaid
yn dynn rhag cael braw.
Rwy'n mynd i ddiflannu—
ond paid ti â phoeni—
jest dwed dy ddymuniad
yn uchel a chlir.
Rhyw ias oer a deimli,
ond daw pob peth yn WIR!"

Dringodd y dyn bach gwyrdd tenau ar law Berwyn a throi i'w wynebu.

"W! Dyma'r llaw dewaf rwy erioed wedi sefyll arni," meddai'r dyn bach gwyrdd tenau. "Nawr 'te. Cau dy lygaid—yn dynn, cofia."

Caeodd Berwyn ei lygaid yn dynn ac meddai, yn uchel a chlir: "Dymunaf, dymunaf, DYMUNAF DDADWNEUD FY NYMUNIAD DIWETHAF. DYMUNAF IDDI FOD YN NADOLIG UNWAITH Y FLWYDDYN—A DIM OND UNWAITH!"

"A! Roedd gen i ryw deimlad y byddet ti'n dymuno hynny," meddai'r dyn bach gwyrdd tenau, a'i lais yn gwanhau a gwanhau o hyd.

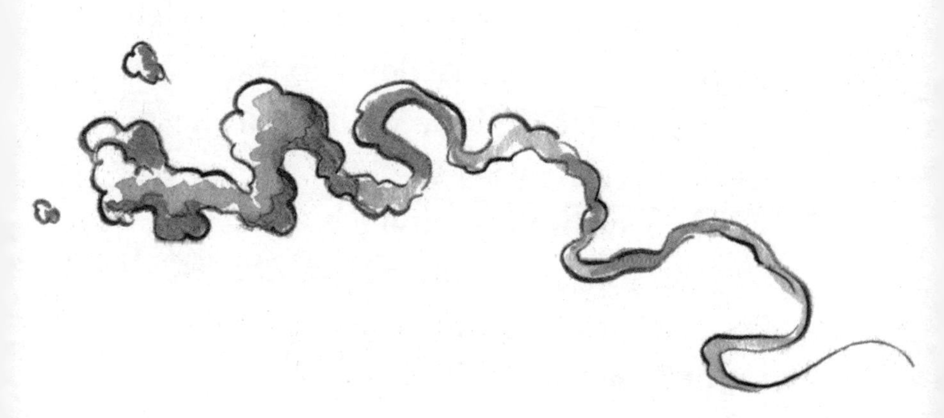

Teimlodd Berwyn ryw ias yn crwydro'i fraich ac wedyn ei holl gorff. Agorodd ei lygaid. Roedd y dyn bach gwyrdd tenau wedi diflannu, ac roedd y botel fach goch fain, a'r corcyn bach brown main, a hyd yn oed y papur lapio, wedi diflannu hefyd. Yr unig beth oedd ar ôl oedd niwl gwyrdd ysgafn yn hofran uwchben llaw Berwyn, a buan y diflannodd hwnnw hefyd.

Ochneidiodd Berwyn ac ystwytho'i fysedd. Teimlent yn wahanol. Doedden nhw ddim mor dew ag oedden nhw gynnau fach.

Ac roedd y stafell yn wahanol. Doedd dim angen y fflachlamp arno nawr. Roedd y goleuadau ymlaen. Doedd dim esgyrn twrci na phyllau o grefi na phowlenni o jeli ar hyd y llawr. Doedd e ddim yn gaeth mewn twnnel o deganau wedi eu chwalu a beiciau mynydd wedi eu plygu.

Dyna'r sw bach gorau'n y byd yn ddestlus ar y carped, a dyna'i jymbo jet, a'i focs peintio, a'i feic mynydd. Dim ond un! Ac roedd hwnnw'n disgleirio.

Roedd popeth wedi newid i'r hyn oedd e gan niwrnod yn ôl.

Roedd hi'n dywyll y tu allan, ond nid am fod papurau'n cuddio'r ffenestri. Roedd hi'n dywyll am ei bod hi'n nos.

"Mae'r pum munud ar ben, Berwyn," meddai tad Berwyn. "Amser gwely."

Edrychodd Berwyn tua'r drws ac roedd ei fam a'i dad yn ei wylio. Roedd y ddau wedi dychwelyd i'w maint arferol, fel yr oedden nhw gan niwrnod yn ôl. Roedd Berwyn wedi newid yn ôl i'w hen faint hefyd, ac roedd ei git pêl-droed amdano.

"Rydych chi'n iawn," meddai Berwyn. "Rwy newydd gael *cant* o Nadoligau, ac mae hynny'n gallu bod yn flinedig iawn."

Meddyliodd mam Berwyn bod hyn yn beth rhyfedd i'w ddweud, a meddyliodd tad Berwyn ei fod yn beth doniol iawn i'w ddweud, achos dim ond un Nadolig roedden nhw'n ei gofio. Chwarddodd y ddau, a chwarddodd Berwyn hefyd. Ac fe aeth i'w wely gan wenu gwên fodlon.

Oherwydd Berwyn oedd y bachgen mwyaf hapus yn y byd.

LLYFRAU LLOERIG

Teitlau eraill yn y gyfres

Mae'r llyfrau bellach wedi eu graddoli yn ôl iaith a chynnwys. Nodir y lefelau trwy gyfrwng sêr.

Grŵp 1 * (syml):
Codi Bwganod, addas. Ieuan Griffith (Gwasg Gwynedd)
Ffortiwn i Pom-Pom, addas. Elen Rhys (Gwasg Gwynedd)
Penri'r Ci Poeth, addas. Elen Rhys (Gwasg Gwynedd)
Pen-blwydd Hapus, Blodwen, addas. Elen Rhys (Gwasg Gwynedd)
Pwtyn Cathwaladr, addas. Elen Rhys (Gwasg Gwynedd)
Potes Pengwin/Tynnwch Eich Cotiau, addas. Emily Huws (Dref Wen)
Sianco, addas. Angharad Dafis (Gwasg Gwynedd)
Syniad Gwich? addas. Jini Owen a Brenda Wyn Jones (Gwasg Gwynedd)
Pws Pwdin a Ci Cortyn, addas. Gwawr Maelor (Gwasg Gwynedd)
Nainosor, addas. Gwawr Maelor (Gwasg Gwynedd)
Mins Sbei, Siân Lewis (Gwasg Gomer)
Mins Trei, Siân Lewis (Gwasg Gomer)

Grŵp 2 ** (canolig):
Crenshiau Mêl am Byth? addas. Dylan Williams (Gwasg Gwynedd)
Dyfal Donc, addas. Emily Huws (Gwasg Gwynedd)
'Dyma Fi – Nanw!' addas. Marion Eames (Gwasg Gwynedd)
Peiriannau Nina, addas. Siân Lewis (Gwasg Gwynedd)
Dannedd Dodi Tad-cu, Martin Morgan (Cymdeithas Lyfrau Ceredigion Gyf.)
Tad-cu yn Colli ei Ben, Martin Morgan (Cymdeithas Lyfrau Ceredigion Gyf.)
Tad-cu yn Mynd i'r Lleuad, Martin Morgan (Cymdeithas Lyfrau Ceredigion Gyf.)
Cemlyn a'r Gremlyn, addas. Jini Owen a Brenda Wyn Jones (Cyhoeddiadau Mei)
3x3 = Ych-a-fi! Siân Lewis a Glyn Rees (Gwasg Gomer)
Cofiwch Bwyso'r Botwm Neu... Mair Wynn Hughes ac Elwyn Ioan (Gwasg Gomer)
Gwibdaith Gron, Hilma Lloyd Edwards a Siôn Morris (Y Lolfa)
Rwba Dwba, Gwyn Morgan (Dref Wen)

Y Fferwr Fferau, addas. Meinir Pierce Jones (Gwasg Gomer)
Y Fflit-fflat, addas. Meinir Pierce Jones (Gwasg Gomer)
Ben ar ei Wyliau, Gwyn Morgan (Dref Wen)
Popo Dianco, addas. Dylan Williams (Gwasg Gwynedd)
Arswyd Fawr! Elwyn Ioan (Y Lolfa)

Grŵp 3 * (estynnol):**
Yr Aderyn Aur, addas. Emily Huws (Gwasg Gomer)
Tŷ Newydd Sbonc, addas. Brenda Wyn Jones (Gwasg Gomer)
Ble mae Modryb Magi? addas. Alwena Williams (Gwasg Gomer)
'Chi'n Bril, Bòs!' addas. Glenys Howells (Gwasg Gomer)
Merch y Brenin Braw, addas. Ieuan Griffith (Gwasg Gomer)
Newid Mân, Newid Mawr, addas. Dylan Williams (Gwasg Gomer)
Pwy sy'n ferch glyfar, 'te? addas. Siân Lewis (Gwasg Gomer)
Y Ffenomen Ffrwydro Ffantastig, Martin Morgan
(Cymdeithas Lyfrau Ceredigion Gyf.)
Smalwod, addas. Gwynne Williams (Gwasg Cambria)
Y Crocodeil Anferthol, addas Emily Huws
(Cymdeithas Lyfrau Ceredigion Gyf.)
Zac yn y Pac, Gwyn Morgan a Dai Owen (Dref Wen)
Zac yn Grac, Gwyn Morgan a Dai Owen (Dref Wen)

Llyfrau Arswyd Lloerig (Gwasg Gomer *):**
Bwthyn Bwganod, addas. Gron Ellis
Y Gors Arswydus, addas. Ross Davies
Mistar Bwci-Bo, addas. Beryl S. Jones
Y Bws Ysbryd, addas. Sulwen Edwards

Llyfrau Barddoniaeth Lloerig
(gol. Myrddin ap Dafydd, Gwasg Carreg Gwalch):
Briwsion yn y Clustiau
Chwarae Plant
Y Llew Go Lew
Mul Bach ar Gefn ei Geffyl
Nadolig, Nadolig
Ych! Maen Nhw'n Neis
'Tawelwch!' taranodd Miss Tomos
Brechdana Banana a Gwynt ar ôl Ffa